U0348056
1580242822

中华人民共和国国家标准

波分复用(WDM)光纤传输系统工程验收规范

Code for acceptance of wavelength division multiplexing(WDM) optical fiber transmission system engineering

GB/T 51126 - 2015

主编部门:中华人民共和国工业和信息化部
批准部门:中华人民共和国住房和城乡建设部
施行日期:2016年5月1日

中国计划出版社

2015 北京

中华人民共和国国家标准

波分复用(WDM)光纤传输系统

工程验收规范

GB/T 51126-2015

☆

中国计划出版社出版

网址:www.jhpress.com

地址:北京市西城区木樨地北里甲11号国宏大厦C座3层

邮政编码:100038　电话:(010) 63906433(发行部)

新华书店北京发行所发行

三河富华印刷包装有限公司印刷

850mm×1168mm　1/32　2.25印张　54千字

2016年1月第1版　2016年1月第1次印刷

☆

统一书号:1580242・822

定价:14.00元

中华人民共和国住房和城乡建设部公告

第897号

住房城乡建设部关于发布国家标准《波分复用(WDM)光纤传输系统工程验收规范》的公告

现批准《波分复用(WDM)光纤传输系统工程验收规范》为国家标准,编号为GB/T 51126—2015,自2016年5月1日起实施。

本规范由我部标准定额研究所组织中国计划出版社出版发行。

中华人民共和国住房和城乡建设部

2015年8月27日

前　言

本规范是根据住房城乡建设部《关于印发〈2011年工程建设标准规范制定、修订计划〉的通知》(建标〔2011〕17号)的要求,由中国通信建设集团有限公司会同有关单位共同编制而成。

本规范在中华人民共和国通信行业标准YD/T 5122—2005《长途光缆波分复用(WDM)传输系统工程验收规范》和YD/T 5176—2009《本地网光缆波分复用系统工程验收规范》的基础上,编制组进行了经广泛调查研究,认真总结实践经验,广泛征求意见,最后经审查定稿。

本规范共分7章和1个附录,主要技术内容包括:总则、术语和符号、设备安装、设备功能检查及本机测试、系统性能测试及功能检查、竣工文件和工程验收等。

本规范由住房城乡建设部负责管理,由工业和信息化部负责日常管理,由中国通信建设集团有限公司负责具体技术内容的解释。执行过程中,如有意见或建议,请与中国通信建设集团有限公司联系,并将补充或修改意见寄送中国通信建设集团有限公司(地址:北京市丰台区南方庄甲56号,邮政编码:100079),以供今后修订时参考。

本规范主编单位、参编单位、主要起草人和主要审查人:

主编单位:中国通信建设集团有限公司

参编单位:中国通信建设第四工程局有限公司
广东省电信规划设计院有限公司
广东省电信工程有限公司

主要起草人:李书森　李开军　丁学伟　万　莔　叶　胤
李志国　郭　栋

主要审查人: 王俊华　刘　琦　张国新　邹洪强　沈　梁
杨铁荣　袁海涛　常　宁　黄为民　潘曜熙
魏贤虎

目　　次

Contents

1 总　　则

1.0.1 为了保证波分复用光纤传输系统工程的施工质量,统一验收标准,为随工检验和工程竣工验收等工作提供技术依据,制定本规范。

1.0.2 本规范适用于单纤单向开放式C波段密集波分复用和单纤单向开放式粗波分复用系统光纤传输系统工程。

1.0.3 波分复用光纤传输系统工程验收除应符合本规范外,尚应符合国家现行有关标准的规定。

2 术语和符号

2.1 术 语

2.1.1 C 波段 conventional band

指波长在 1530nm～1565nm 的波段。

2.1.2 L 波段 long wavelength band

L 波段是指波长在 1565nm～1625nm 之间的波段。

2.1.3 标称中心频率（波长） nominal central frequency (wavelenth)

指以频率 193.10 THz（真空波长 1552.52nm）为参考频率（波长），在波分复用系统中按照一定的频率间隔分配的频率（波长）。

2.1.4 标称通路间隔 nominal channel spacing

指相邻通路的标称中心频率差。

2.1.5 最小边模抑制比 minimum side mode suppression ratio

指发射机总频谱最大峰值与第二大峰值之比的最小值。测量所用的频谱分辨率应高于峰值频谱宽度最大值。第二大峰可能紧靠主峰，也可能与其离得很远。在本定义中，与最大峰值之间被时钟频率分开的频谱峰值不被认为是边模。

2.1.6 光放段 optical amplify section

指相邻的光放站（OLA 站）间、光终端站（OTM 站）与相邻光放站（OLA 站）间以及光分路站（OADM 站）与相邻光放站（OLA 站）间，构成用于延长无电中继长度的传输段落。

2.1.7 光复用段 optical multiplex section

指相邻的光终端站（OTM 站）间、光分路站（OADM 站）间以及光终端站（OTM 站）与相邻的光分路站（OADM 站）间，构成具有电再生中继功能的传输段落。

2.1.8 光通路　optical channel

光复用段内光信号单向传输的通路。

2.1.9 光通道　optical path

在源点和宿点波分复用设备客户接口之间,传输特定业务信号的全部设施和手段。

2.1.10 光通路净荷单元　optical channel payload unit

指适配客户信息在光通路上传送的信息结构。将客户信息、所需适配客户信号速率和光通路净荷单元(OPU_k)速率的开销,以及其他支持客户信号传送的 OPU_k 开销结合在一起。这些开销是特定的适配开销,OPU_k 的容量由 k 区分,$k=0,1,2,2e,3,4$。

2.1.11 光通路数据单元　optical channel data unit

指包括信息净荷(OPU_k)和与光通路数据单元(ODU_k)开销相关的信息结构。ODU_k 的容量由 k 区分,$k=0,1,2,2e,3,4$。

2.1.12 光通路传送单元　optical channel transport unit

指在一个或多个光通路连接上,传送一个光通路数据单元(ODU_k)的信息结构,包括 ODU_k 和光通路传送单元(OTU_k)相关开销(FEC 和光通路连接管理开销),由帧结构、比特速率和带宽来表征。OTU_k 的容量由 k 来区分,$k=1,2,3,4$。目前定义了两种 OTU_k,一种是用于 OTM 域间(IrDI)或域内(IaDI)完全标准化的 OTU_k,另一种是仅用于 OTM 域内(IaDI)部分功能标准化的 OTU_k(OTU_kV)。

2.1.13 光监控通路　optical supervisory channel

指传送 OTM 开销信号的物理光路,光监控通路(OSC)不经过光放大器。

2.2 符　　号

符号	英文名	中文名或解释
3R	Re-amplification, Reshaping, Retiming	再放大,再整形,再定时

符号	英文名	中文名或解释
AIS	Alarm Indication Signal	告警指示信号
ALS	Automatic Laser Shutdown	激光器自动关闭
APD	Avalanche Photo Diode	雪崩光电二极管
APR	Automatic Power Reduction	自动光功率减小
BA	Booster Amplifier	功率放大器
CBR	Constant Bit Rate	固定比特速率
CWDM	Coarse Wavelength Division Multiplexing	粗波分复用
DPSK	Differential Phase Shift Keying	差分相移键控
DP-QPSK	Dual Polarization Quadrature Phase Shift Keying	双极化正交相移键控
DQPSK	Differential Quadrature Phase Shift Keying	差分正交相移键控
DWDM	Dense Wavelength Division Multiplexing	密集波分复用
EM	Element Management	网元管理
ES	Errored Second	误码秒,误块秒
FEC	Forward Error Correction	前向纠错
LCT	Local Craft Terminal	本地维护终端
LOF	Loss of Frame	帧丢失
LOP	Loss of Pointer	指针丢失
LOM	Loss of Multi-frame	复帧丢失
LOS	Loss of Signal	信号丢失
MPI-R	Main Path Interface at the Receiver	主通道接收端
MPI-S	Main Path Interface at the Sender	主通道发送端
NRZ	Non-Return to Zero	非归零(码)
OADM	Optical Add-Drop Multiplexer	光分插复用器

符号	英文名	中文名或解释
OCP	Optical Channel Protection	光通路保护
ODB-PSBT	Optical Duobinary PSBT	光双二进制码相位整形二进制传输
ODC_a	ODU_k Clock of type "a"	光通路数据单元 k 时钟类型 a
ODU	Optical De-multiplexer Unit	光分波（解复用）器（单元）
ODU_k	Optical channel Data Unit-k	光通路数据单元 k
OLA	Optical Line Amplifier	光线路放大器
OMSP	Optical Multiplex Section Protection	光复用段保护
OMU	Optical Multiplexer Unit	光合波(复用)器(单元)
OOF	Out of Frame	帧失步
OSA	Optical Spectrum Analyser	光谱分析模块
OSC	Optical Supervisory Channel	光监控通路
OSNR	Optical Signal to Noise Ratio	光信噪比
OTM	Optical Terminal Multiplexer	光终端复用器
OTN	Optical Transport Network	光传送网络
OTU	Optical Transponder Unit	光转换单元（波长转换器）
PA	Pre-Amplifier	前置放大器
P-DPSK	Partial Differential Phase Shift Keying	部分差分相移键控
PIN	Positive Intrinsic-Negative	光电二极管
PMD	Polarization Mode Dispersion	偏振模色散
PM-DQPSK	Polarization Multiplexing-DQPSK	偏振复用差分正交相移键控
PM-QPSK	Polarization Multiplexing-QPSK	偏振复用正交相移键控

符号	英文名	中文名或解释
PSBT	Phase Shaped Binary Transmission	相位整形二进制传输
RZ	Return to Zero	归零(码)
RZ-DQPSK	Return to Zero-DQPSK	归零差分正交相移键控
ROADM	Reconfigurable Optical Add-Drop Multiplexer	可重构光分插复用器
SDH	Synchronous Digital Hierarchy	同步数字体系
STM	Synchronous Transport Module	同步传送模块
T-MUX	Transport Multiplexer	子速率透明服务器
WDM	Wavelength Division Multiplexing	波分复用

3 设备安装

3.1 一般要求

3.1.1 机房内不得存放易燃、易爆等危险物品。

3.1.2 孔洞位置、尺寸应满足设计要求。

3.1.3 孔洞应采用不低于楼板或墙体耐火等级的不燃烧材料封堵严密。

3.1.4 设备和材料进场时，应进行检查验收，合格后方可安装。

3.2 铁架安装

3.2.1 槽道和走线架安装应符合下列规定：

1 槽道和走线架安装的平面位置、高度、加固和连接方式应满足设计要求；

2 槽道和走线架平面位置的允许偏差应为±50mm；

3 列槽道和列走线架应成一条直线，水平允许偏差应为±3‰；

4 连固件连接应牢固、平直、无明显弯曲；电缆支架应安装端正、牢固，间距均匀；

5 主槽道和列槽道、主走线架和列走线架宜立体交叉；

6 列间撑铁应在一条直线上，两端应对墙加固；

7 吊挂安装应垂直、牢固，膨胀螺栓孔宜避开机房主承重梁，当无法避开时，孔位应选在距主承重梁下沿120mm以上的侧面位置；

8 铁件漆面应完整无损，当需补漆时，其颜色与原漆色应一致。

3.2.2 光纤护槽安装应符合下列规定：

1 光纤护槽宜采用支架方式安装,支架底端宜固定在电缆支铁或槽道(走线架)的梁上;

2 安装完毕的光纤护槽应牢固、平直、无明显弯曲;

3 光纤护槽在槽道内的高度与槽道侧板上沿宜平齐,不应影响槽道内电缆的布放,主槽道与列槽道过渡处和转弯处可用圆弧弯头连接;

4 光纤护槽的盖板应开合方便,列槽道内的护槽侧面应预留光纤引出口;宜采用喇叭状出口对接。

3.3 机架和子架安装

3.3.1 机架安装应符合下列规定:

1 机架安装的平面位置、排列走向、加固方式、抗震加固、防雷地线和设备保护地线应满足设计要求;

2 各种机架安装位置的允许偏差应为±10mm;

3 各种机架的安装应端正牢固,垂直度允许偏差应为±1‰;

4 列内机架应相互靠拢,机架间隙不应大于3mm并应保持机架门开关顺畅;机面应平直,每米允许偏差应为±3mm,全列允许偏差应为±15mm;

5 机架应采用膨胀螺栓对地加固,机架顶部宜采用夹板或L型铁与列槽道(列走线架)上梁加固;

6 在铺设了防静电地板的机房安装设备,设备下面应安装机架底座,底座安装应满足设备安装要求;

7 设备端子板的位置、安装排列顺序及各种标识应满足设计要求;

8 光纤配线架(ODF)上的光纤连接器安装应牢固,方向一致,盘纤区固定光纤的零件应安装齐备;

9 机架和部件以及它们的接地线应安装牢固。

3.3.2 设备子架安装应符合下列规定:

1 设备子架安装位置和子架内机盘槽位应满足设计要求;

2　子架与机架的加固应牢固、端正，满足设备装配要求，不得影响机架的整体形状和机架门的顺畅开合；

3　子架上的饰件、零配件应装配齐全，接地线应与机架接地端子可靠连接；

4　子架内插接件应接触良好，空槽位宜安装空机盘或假面板。

3.4　网管设备安装

3.4.1　网管设备安装位置、供电方式和电源保护方式应满足设计要求。

3.4.2　网管设备的操作终端、显示器和其他附属设备应摆放平稳、整齐。

3.5　线缆布放及成端

3.5.1　光纤连接线布放应符合下列规定：

1　光纤连接线布放路由、不同类型纤芯的光纤连接线外皮颜色、收信、发信排列方式应满足设计要求；

2　光纤连接线宜布放在光纤护槽内，应保持光纤顺直，无明显扭绞；当无光纤护槽时，光纤连接线应加穿光纤保护管；保护管应顺直绑扎在电缆槽道内或走线架上；

3　光纤连接线从护槽引出时，宜采用螺纹光纤保护管保护；

4　光纤连接线宜用扎线绑扎或自粘式绷带缠扎，绑扎松紧宜适度。不得用尼龙扎带直接捆绑无套管保护的光纤连接线；

5　光纤连接线活接头处应留有余量，余长应依据接头位置确定，不宜超过 2m。光纤连接线余长部分应整齐盘放，曲率半径不应小于 40mm；

6　光纤连接线应整条布放，中间不得做接头；

7　光纤连接线两端应粘贴标签，标签应粘贴整齐一致，标识应清晰、准确、规范。

3.5.2 通信电缆布放和成端应符合下列规定：

1 规格程式、布放路由应满足设计要求；

2 在槽道内或走线架上布放时，应顺直，捆扎牢固，松紧适度，没有明显扭绞；

3 电缆成端处应留有500mm以内的余量，成束缆线留长应保持一致；

4 电缆开剥尺寸应与缆线插头插座的对应部分相适合，成端完毕的插头插座尾端不应露铜；

5 芯线焊接应端正、牢固、焊锡适量，焊点光滑、圆满、无瘤形；

6 屏蔽网剥头长度应一致，并应保证与连接插头的接线端子外导体接触良好；

7 组装好的电缆、电线插头插座，应配件齐全、位置正确、装配牢固。

3.5.3 电力电缆电线布放和成端应符合下列规定：

1 电力电缆规格程式、布放路由、芯线间绝缘电阻应满足设计要求；

2 电力电缆与通信电缆及光纤连接线等信号缆线应分开放绑，间距应大于50mm；

3 电力电缆应整条布放，中间不得做接头；

4 在槽道内或走线架上安装时，布放应顺直，捆扎牢固，转弯处不得出现电缆外皮起皱现象；

5 直流电源线中的负极线和工作地线应顺直绑扎成一束；当多束布放时，电缆束间不应留间隙；

6 截面$10mm^2$及以下单股电力线可采用打接头圈方式与接线排连接，打圈绕向与螺丝固紧应方向一致；铜芯多股电力线接头圈应镀锡。螺丝和接头圈间应安装平垫圈和弹簧垫圈；

7 截面$10mm^2$以上的电力电缆应采用缆线鼻子制作终端头，鼻子与缆线连接处的材料应与电缆材料相吻合；

8 铜鼻子的规格应与电源线规格一致,剥露的铜线长度应与铜鼻子压接管深度一致,并应保证铜缆芯完整接入铜鼻子压接管内,不得损伤和剪切铜缆芯线;

9 安装在铜排上的铜鼻子应牢靠端正,采用合适的螺栓连接,并应安装齐备平垫圈和弹簧垫圈;

10 铜鼻子压接管外侧应采用绝缘材料保护,正极应用红色,负极应用蓝色,保护地应用黄色。

4 设备功能检查及本机测试

4.1 电源及设备功能检查

4.1.1 供电电源电压范围应满足设备使用要求。

4.1.2 设备功耗应满足技术文件要求。

4.1.3 列柜或电源柜的熔丝容量应满足设计要求。主用和备用熔丝标识应清晰。

4.1.4 设备主用和备用电源盘应能正常倒换。

4.1.5 设备告警功能项目检查应符合设备技术规定,并应具备向外部发送集中告警信号功能。集中告警方式应满足设计要求。

4.2 合波器(OMU)测试

4.2.1 合波器通路插入损耗及其最大差异测试,应在输入、输出端口分别测试各个波长的光功率,输入、输出口光功率差值及其最大差异应符合表 4.2.1 的规定。

表 4.2.1 合波器插入损耗及其最大差异(dB)

设备制式	通路容量	插入损耗	最大差异	器件类型
2.5G 系统	32 通路	<12.0	<3.0	波长敏感型
	40 通路	<17.0	<3.0	波长不敏感型
10G 系统	16 通路	<10.0	<2.0	集成光波导型和介质薄膜滤波器型
	32 通路	<12.0	<3.0	
	40 通路	<12.0	<3.0	
	80 通路	<14.0	<3.0	
40G、100G 系统	40 通路	<10.0	<3.0	
	80 通路	<10.0	<3.0	

4.3 分波器(ODU)测试

4.3.1 分波器通路插入损耗及其最大差异测试，应在输入、输出端口分别测试各个波长的光功率，输入、输出口光功率差值及其最大差异应符合表 4.3.1 的规定。

表 4.3.1 分波器插入损耗及其最大差异(dB)

设备制式	通路容量	插入损耗	最大差异	器件类型
2.5G 系统	32 通路	<10.0	<3.0	—
	40 通路	<10.0	<3.0	—
10G 系统	16 通路	<8.0	<2.0	光纤布喇格光栅型、介质薄膜滤波器型和集成光波导型
	32 通路	<10.0	<3.0	
	40 通路	<10.0	<2.0	
	80 通路	<12.0	<2.0	
40G、100G 系统	40 通路	<8.0	<2.0	光纤布喇格光栅型、介质薄膜滤波器型和集成光波导型
	80 通路	<8.0	<2.0	

4.3.2 相邻通路隔离度测试，应符合下列规定：

1 应在分波器的输入端将各不同波长的信号接入，并应保证各波长的光功率在分波器输入端基本相同。

2 可用光谱分析仪分别在分波器输出端(R_n点)第 i 通路测试波长 λ_i 的主纵模峰值光功率电平 P_i，并测试波长 λ_{i+1} 和 λ_{i-1} 耦合到第 i 通路的串扰峰值光功率电平，应找出最大串扰光功率电平 P_r，计算的出 λ_i 通路的相邻通路隔离度 L_i，可按下式计算。

$$ISOL_i = P_i - P_r \qquad (4.3.2)$$

式中：$ISOL_i$——表示 λ_i 通路的相邻通路隔离度(dB)；

P_i——表示 λ_i 通路主纵模峰值光功率电平(dBm)；

P_r——表示 λ_i 通路收到的最大串扰电平(dBm)。

3 可采用同样方法计算其他各波长通路的相邻通路隔离度。计算结果应符合表 4.3.2 的规定。测试过程中光谱分析仪分辨率宜设置为 0.2nm 状态。

表 4.3.2　分波器通路隔离度(dB)

设备制式	通路容量	相邻通路隔离度	非相邻通路隔离度	器件类型
2.5G 系统	32 通路	＞25	＞25	—
	40 通路	＞25	＞25	—
10G 系统	16 通路	＞25	＞25	光纤布喇格光栅型、介质薄膜滤波器型和集成光波导型
	32 通路	＞25	＞25	
	40 通路	＞22	＞25	
	80 通路	＞22	＞25	
40G、100G 系统	40 通路	＞22	＞25	光纤布喇格光栅型、介质薄膜滤波器型和集成光波导型
	80 通路	＞25	＞25	

4.3.3　非相邻通路隔离度测试，可按本规范第 4.3.2 条执行，在非相邻各波长的串扰峰值光功率电平中应选最大值，并应计算各波长通路的非相邻通路隔离度。其计算结果应符合表 4.3.2 的规定。

4.4　梳状滤波器测试

4.4.1　梳状滤波器通路插入损耗及其最大差异测试，应在输入、输出端口分别测试各波长的光功率，输入、输出口光功率的差值及其最大差异应符合表 4.4.1 的规定。

表 4.4.1　梳状滤波器插入损耗及其最大差异、通路隔离度(dB)

设备制式	插入损耗	最大差异	通路隔离度	器件类型
10G 系统	＜2.0	＜1.0	＞25	50GHz/100GHz 梳状滤波器
100G 系统	＜3.0	＜1.0	＞25	

4.4.2　通路隔离度测试，可按本规范第 4.3.2 条的要求测试每个波长通路相邻通路隔离度，并可按本规范第 4.3.3 条的要求测试每个波长通路的非相邻通路隔离度，计算结果应符合表 4.4.1 规定。

4.5　分插复用器(OADM)测试

4.5.1　分插复用器通路插入损耗及其最大差异测试，应在输入、输出端口分别测试各上下波长的光功率，输入、输出口光功率的差值及其最大差异应满足设计要求。

4.5.2 通路隔离度测试，可按本规范第4.3.2条的要求测试每个波长通路相邻通路隔离度，并可按本规范第4.3.3条的要求测试每个波长通路的非相邻通路隔离度，计算结果应满足设计要求。

4.6 波长转换器(OTU)测试

4.6.1 平均发送光功率测试，应在OTU输出端口采用光功率计测试，结果应符合表4.6.1的规定。

表4.6.1 波长转换器平均发送光功率(dBm)

波长转换器制式	S_n点	远距型R点	局内型R点	ODB/PSBT、P-DPSK、DP-QPSK、PM-QPSK(R和S_n点)	RZ-DQPSK(R和S_n点)
2.5G	−10～0	−2～3	−18～−9	—	—
10G	−5～−1	−2～2	−10～0	—	—
40G	—	—	—	−5～5	−10～5
100G	—	—	—	−5～5	—

4.6.2 接收灵敏度测试(图4.6.2)，应使待测设备和传输分析仪保持正常状态，并可逐渐调大可调光衰耗器的衰耗值，当传输分析仪检测到的误码率为1.00×10^{-12}时，测得OTU平均接收光功率应符合表4.6.2的规定。

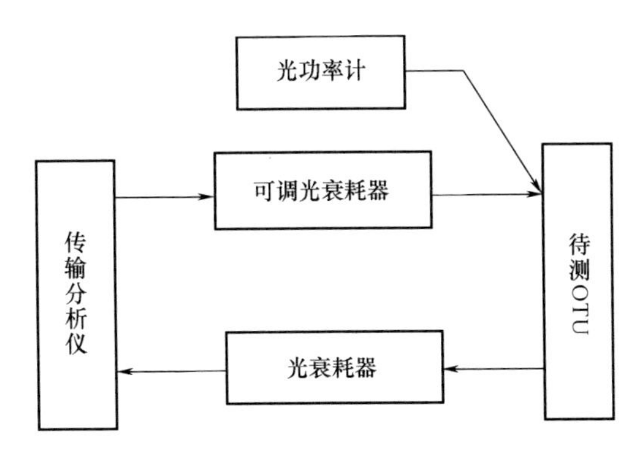

图4.6.2 OTU灵敏度和过载光功率测试连接示意图

表 4.6.2 波长转换器接收灵敏度(dBm)

波长转换器制式	S点	APD型 R_n点	PIN型 R_n点	S和 R_n点
2.5G	≤−18	≤−25	≤−18	—
10G	≤−14	≤−21	≤−14	—
40G、100G	—	—	—	≤−14

4.6.3 过载光功率测试(图4.6.2),应使待测设备和传输分析仪保持正常状态,并可逐渐调小可调光衰耗器的衰耗值,当传输分析仪检测到的误码率为 1.00×10^{-12} 时,测得OTU平均接收光功率应符合表4.6.3规定。

表 4.6.3 波长转换器过载光功率(dBm)

波长转换器制式	S点	APD型 R_n点	PIN型 R_n点	S和 R_n点
2.5G	≥0	≥−9	≥0	—
10G	≥0	≥−9	≥0	—
40G、100G	—	—	—	≥0

4.6.4 中心频率测试,应在DWDM系统 S_n 点用多波长计或光谱分析仪测试,结果应符合表4.6.4-1的规定。CWDM系统在相应的系统接口点测试,结果应符合表4.6.4-2的规定。

表 4.6.4-1 DWDM 波长转换器中心频率及允许偏差

设备制式	通路间隔	标称中心频率(THz)	允许偏差(GHz)
32×2.5G系统	100	192.10～195.20	±20.0
40×2.5G系统	100	192.10～196.00	±20.0
32×10G系统	100	192.10～195.20	±12.5
40×10G系统	100	192.10～196.00	±12.5
80×10G系统	50	191.80～196.05	±5.0
40×40G系统	100	191.10～196.20	±5.0
80×40G系统	50	191.10～196.25	±2.5
40×100G系统	100	191.10～196.20	±2.5
80×100G系统	50	191.10～196.25	±2.5

表 4.6.4-2 CWDM 波长转换器中心波长及允许偏差

<table>
<tr><th>序号</th><th>系统标称中心波长 λ (nm)</th><th>中心波长偏差 (nm)</th><th>4 波</th><th>8 波</th><th>16 波</th></tr>
<tr><td>1</td><td>1271.0</td><td>±7</td><td rowspan="10">/</td><td rowspan="10">/</td><td rowspan="18">在全波段范围内选用，不对具体波长使用进行限制</td></tr>
<tr><td>2</td><td>1291.0</td><td>±7</td></tr>
<tr><td>3</td><td>1311.0</td><td>±7</td></tr>
<tr><td>4</td><td>1331.0</td><td>±7</td></tr>
<tr><td>5</td><td>1351.0</td><td>±7</td></tr>
<tr><td>6</td><td>1371.0</td><td>±7</td></tr>
<tr><td>7</td><td>1391.0</td><td>±7</td></tr>
<tr><td>8</td><td>1411.0</td><td>±7</td></tr>
<tr><td>9</td><td>1431.0</td><td>±7</td></tr>
<tr><td>10</td><td>1451.0</td><td>±7</td></tr>
<tr><td>11</td><td>1471.0</td><td>±7</td><td rowspan="8">在此波段范围内选用，不对具体波长使用进行限制</td><td rowspan="8">选用此波段范围内 8 个波道</td></tr>
<tr><td>12</td><td>1491.0</td><td>±7</td></tr>
<tr><td>13</td><td>1511.0</td><td>±7</td></tr>
<tr><td>14</td><td>1531.0</td><td>±7</td></tr>
<tr><td>15</td><td>1551.0</td><td>±7</td></tr>
<tr><td>16</td><td>1571.0</td><td>±7</td></tr>
<tr><td>17</td><td>1591.0</td><td>±7</td></tr>
<tr><td>18</td><td>1611.0</td><td>±7</td></tr>
</table>

注：表中的波长 λ 为光在真空中的波长，频率可采用 $f=c/\lambda$ 换算，光在真空中的速度取，$c=2.99792458\times10^{8}\,m/s$。

4.6.5 最小边模抑制比测试，应在 S_n 点采用光谱分析仪测试，结果应大于 35dB。

4.6.6 －20dB 谱宽的测试，应在 S_n 点采用光谱分析仪测试，结果应符合表 4.6.6 的规定。

表 4.6.6 波长转换器－20dB 谱宽(nm)

波长转换器制式	－20dB 谱宽
2.5G	≤0.20
10G(NRZ 型)	≤0.30
10G(RZ 型)	满足设计要求
40G(ODB 或 PSBT 型)	≤0.60
40G(P-DPSK 型)	≤0.70
40G(DP-QPSK 型)	≤0.17
100G(PM-QPSK 型)	≤1.00

4.6.7 抖动产生测试(图 4.6.7),可用传输分析仪测量 OTU 在无输入抖动时的最大输出抖动,测试 60s 的累计值结果应符合表 4.6.7 的规定。

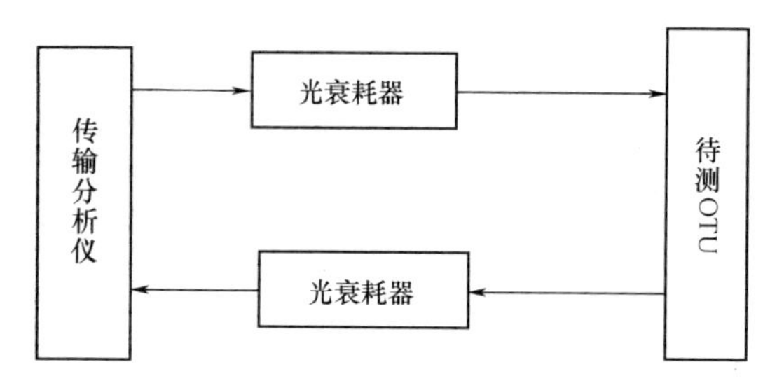

图 4.6.7 OTU 抖动性能测试连接示意图

表 4.6.7 抖动产生

参数值 / 接口类型	抖动峰峰值 UI_{p-p}		测试滤波器参数		
	$B_1(f_1-f_4)$	$B_2(f_3-f_4)$	f_1(kHz)	f_3(MHz)	f_4(MHz)
STM-16	0.30	0.10	5	1	20
STM-64	0.30	0.10	20	4	80
STM-256	0.30	0.14	80	16	320
OTN 接口 CBR10G、ODU2	1.00	0.10	20	4	80
OTN 接口 ODU3、OTU3	1.20	0.14	20	16	320
OTN 接口 CBR40G	1.00	0.14	80	16	320

注:1 OTN 接口 CBR10G、ODU2 和 CBR40G 适合 ODCp 时钟模式。

2 OTN 接口 ODU3 和 OTU3 适合 ODCa、ODCb 和 ODCr 时钟模式。

4.6.8 输入抖动容限测试(图 4.6.7),应调节设备和仪表接收光功率在其动态范围的中间,并应保持设备和仪表处于稳定状态下。发送端 OUT 设备应符合下列规定:

1 STM-16 和 OTU1 接口的输入抖动容限(图 4.6.8-1)应符合表 4.6.8-1 的规定;

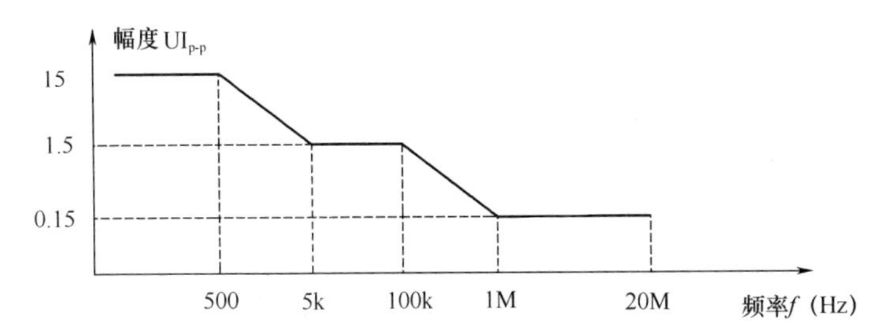

图 4.6.8-1 STM-16 和 OTU1 接口的输入抖动容限模框

表 4.6.8-1 STM-16 和 OTU1 接口的输入抖动容限

频率 f(Hz)	抖动幅度 UI_{p-p}
$500< f \leqslant 5k$	$7500f^{-1}$
$5k< f \leqslant 100k$	1.5
$100k< f \leqslant 1M$	$1.5\times10^5 f^{-1}$
$1M< f \leqslant 20M$	0.15

2 STM-64 和 OTU2 接口的输入抖动容限(图 4.6.8-2)应符合表 4.6.8-2 的规定;

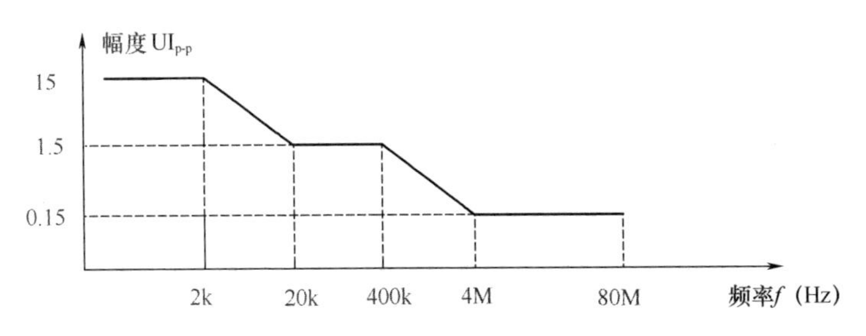

图 4.6.8-2 STM-64 和 OTU2 接口的输入抖动容限模框

表 4.6.8-2　STM-64 和 OTU2 接口的输入抖动容限

频率 f(Hz)	抖动幅度 UI_{p-p}
2k< f ≤20k	$3.0\times10^{4} f^{-1}$
20k< f ≤400k	1.5
400k< f ≤4M	$6.0\times10^{5} f^{-1}$
4M< f ≤80M	0.15

3　STM-256 接口的输入抖动容限(图 4.6.8-3)应符合表 4.6.8-3的规定；

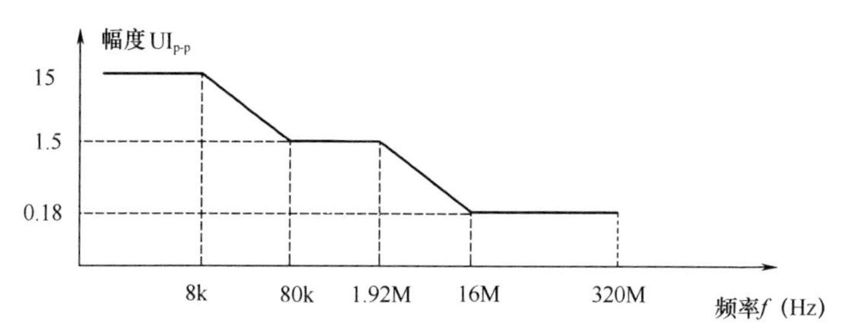

图 4.6.8-3　STM-256 接口的输入抖动容限模框

表 4.6.8-3　STM-256 接口的输入抖动容限

频率 f(Hz)	抖动幅度 UI_{p-p}
8k< f ≤80k	$1.2\times10^{5} f^{-1}$
80k< f ≤1.92M	1.5
1.92M< f ≤16M	$2.88\times10^{6} f^{-1}$
16M< f ≤320M	0.18

4　OTU3 接口的输入抖动容限(图 4.6.8-4)应符合表 4.6.8-4的规定。

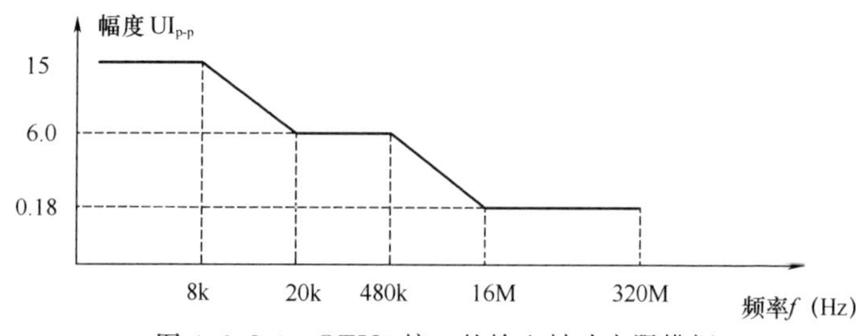

图 4.6.8-4　OTU3 接口的输入抖动容限模框

表 4.6.8-4　OTU3 接口的输入抖动容限

频率 f(Hz)	抖动幅度 UI_{p-p}
8k< f ≤20k	$1.2\times10^{5}f^{-1}$
20k< f ≤480k	6.0
480k< f ≤16M	$2.88\times10^{6}f^{-1}$
16M< f ≤320M	0.18

4.6.9　抖动转移特性测试(图 4.6.7),测试的抖动转移特性结果(图 4.6.9)应符合表 4.6.9 规定。

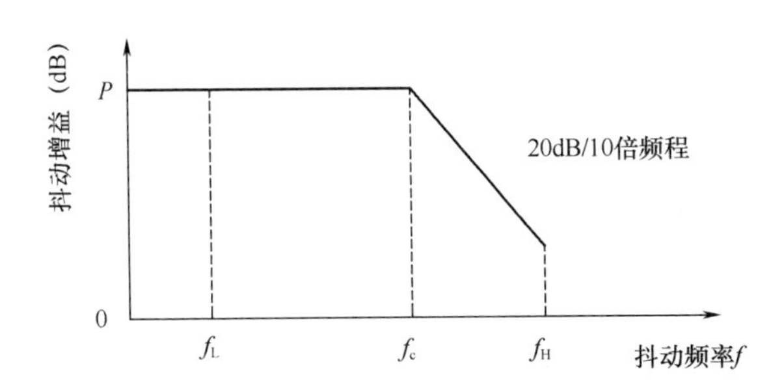

图 4.6.9　OTU 抖动转移特性

表 4.6.9　OTU 抖动转移特性参数值

STM 等级	f_L(Hz)	f_c(kHz)	f_H(kHz)	P(dB)
STM-16	—	2000	20000	0.1
STM-64	—	1000	80000	0.1
STM-256	—	4000	320000	0.1
OTN 接口 ODU2 同步映射	40	4	400	0.1
OTN 接口 ODU3 同步映射	160	16	1600	0.1
OTN 接口 OTU2　3R 再生	10	1000	80000	0.1
OTN 接口 OTU3　3R 再生	40	4000	320000	0.1

4.6.10　光发送眼图测试,采用传输信号分析仪(光电示波器)测得的 OTU 端口输出端的光发送眼图应满足设计要求。

4.7 子速率透明复用器(T-MUX)测试

4.7.1 平均发送光功率的测试,应在设备正常发光情况下,用光功率计在 T-MUX 的群路输出端口和支路输出端口分别测试,结果应符合表 4.7.1 的规定。

表 4.7.1 子速率透明复用器平均发送光功率(dBm)

设备接口	S_n点	远距型	局内型	ODB/PSBT、P-DPSK、DP-QPSK、PM-QPSK(S_n点)	RZ-DQPSK(S_n点)
2.5G	—	−2～3	−18～−9	—	—
10G	−5～−1	−2～2	−10～0	—	—
40G	—	—	—	−5～5	−10～5
100G	—	—	—	−5～5	—

4.7.2 接收灵敏度测试(图 4.7.2),应使待测设备和传输分析仪保持正常状态,可逐渐调大连接待测端口的可调光衰耗器衰耗值,当传输分析仪检测到的误码率为 1.00×10^{-12}时,测得 T-MUX 接口平均接收光功率应符合表 4.7.2 的规定。

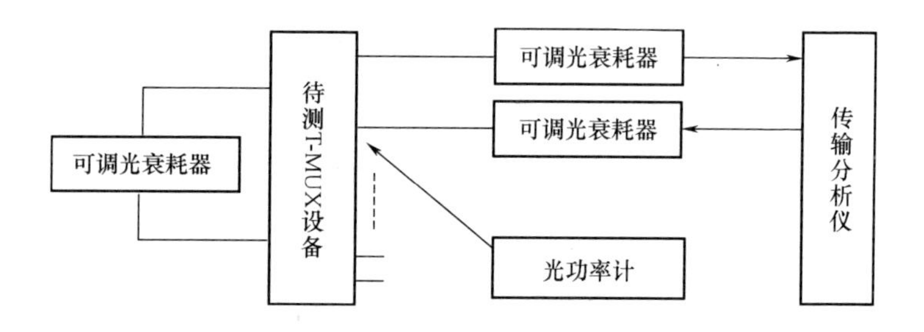

图 4.7.2 T-MUX 性能测试连接示意图

表 4.7.2 子速率透明复用器接收灵敏度(dBm)

设备接口	APD 型	PIN 型	R_n点
2.5G	≤−25	≤−18	—
10G	≤−21	≤−14	—
40G、100G	—	—	≤−14

4.7.3 过载光功率测试(图 4.7.2),应使待测设备和传输分析仪保持正常状态,可逐渐调小连接待测端口的可调光衰耗器衰耗值,当传输分析仪检测到的误码率为 1.00×10^{-12}时,测得 T-MUX 接口平均接收光功率应符合表 4.7.3 的规定。

表 4.7.3 子速率透明复用器过载光功率(dBm)

设备接口	APD 型	PIN 型	R_n点
2.5G	≥−9	≥0	—
10G	≥−9	≥0	—
40G、100G	—	—	≥0

4.7.4 抖动产生测试(图 4.7.2),可用传输分析仪测量 T-MUX 接口在无输入抖动时的最大输出抖动,测试 60s 的累计值结果应符合表本规范 4.6.7 对应的速率端口规定。

4.7.5 输入抖动容限测试(图 4.6.2),应调节设备和仪表接收光功率在动态范围的中间,且应保持设备和仪表工作处于稳定状态下,设备输入抖动容限应符合本规范第 4.6.8 条对应的速率口指标规定。

4.7.6 光发送眼图测试,用传输信号分析仪(光电示波器)测得的 T-MUX 端口输出端的光发送眼图应满足设计要求。

4.8 光线路放大器(OLA)测试

4.8.1 总输入光功率测试,在 OLA 输入端正常接收来自前一站多个波长光信号的系统状态下,测试 R_M点的光功率,结果应满足设计要求。

4.8.2 总输出光功率测试,在 OLA 正常时,测试 S_M点的光功率,结果应满足设计要求。

4.9 光谱分析模块(OSA)测试

4.9.1 从网管上读取每波中心波长值与仪表在 MPI-R_M点所测中心波长值比较,允许偏差应为±0.1nm。

4.9.2 从网管上读取每波光功率与仪表在 MPI-R_M点所测光功率比较，允许偏差应为±1.5dB。

4.9.3 在光信噪比不大于 25dB 时，从网管上读取每波信噪比值与仪表在 MPI-R_M点所测信噪比值比较，允许偏差应为±1.5dB。

4.10 光监控通路(OSC)测试

4.10.1 平均发送光功率测试，应在 OSC 发送板的输出端口用光功率计测试。当系统采用 2.5G 制式时，光功率应为－7dBm～0；当采用 10G 速率以上制式时，测得的光功率应为 0～7dBm。

4.10.2 中心波长测试，应在 OSC 发送板的输出端口用多波长计或光谱分析仪测试，结果应为 1510nm±10nm。

5　系统性能测试及功能检查

5.1　系统性能测试

5.1.1　光信噪比测试，在 MPI-R_M点用光谱分析仪测试各波长通路，结果应满足设计要求，并应分别对每个光复用段双向测试。

5.1.2　系统输出抖动测试，可采用环回法或对测法，环回法指标按单向指标考核。测试时间应为60s，在R点测试各通路输出抖动应符合表5.1.2的规定。

表5.1.2　系统输出抖动

接口类型＼参数值	网络接口限值 UI_{p-p}		测试滤波器参数		
	$B_1(f_1 \sim f_4)$	$B_2(f_3 \sim f_4)$	f_1(kHz)	f_3(MHz)	f_4(MHz)
STM-16	1.5(0.75)	0.15(0.15)	5	1	20
STM-64	1.5(0.75)	0.15(0.15)	20	4	80
STM-256	1.5	0.18	80	16	320
OTU3	6.0	0.18	20	16	320

注：1　括号内数值为光复用段指标要求。

2　单个光复用段组成的光通道，按照光复用段指标考核。

5.1.3　系统误码性能测试，采用传输分析仪仪测试SDH和OTN业务通路，结果应满足设计要求。当一个光复用段有多个波长通路时，可任选其中一个波道测试24h，其余波长通路应测试15min。

5.1.4　系统保护倒换时间宜采用环回法测试，结果应满足设计要求。

5.1.5　以太网性能测试(图5.1.5)，测试吞吐量、过载丢包率、长期丢包率、时延和背靠背等性能，结果应满足设计要求。

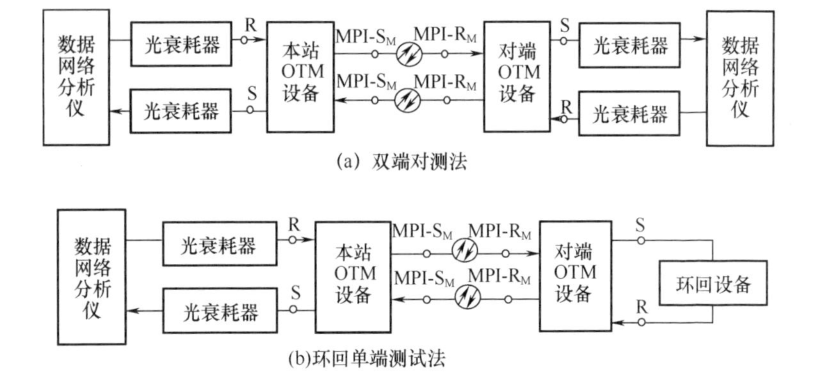

图 5.1.5　以太网性能测试连接示意图

5.2　系统功能检查

5.2.1　当系统通路增加或减少时，对其他通路的误码性能不应造成影响，对其他通路的信噪比影响程度应满足设计要求。

5.2.2　当线路光纤或系统内部光纤中断引起放大器接收无光时，放大器输出光功率应自动降低(APR)或激光器自动关闭 (ALS)。当主光通道恢复连通并正常工作后，系统应能实施自动或人工重启动功能，使系统恢复正常工作。

5.2.3　当采用光通道保护(OCP)方式时，在通路接收光功率低于设定门限或误码率大于设定门限倒换准则时，系统应自动倒换到保护通路。当采用复用段保护(OMSP)或光线路保护(OLP)方式时，在 WDM 主用线路接收端接收光功率低于设定门限时，系统应自动倒换到备用线路。

5.3　辅助系统功能检查

5.3.1　公务联络系统应符合下列规定：

1　公务联络功能设置应满足各站间的公务联络要求；

2　各站公务电话编号应满足设计要求，采用选呼和群呼方式呼叫应正确无误；

3　通话应清晰、无啸叫现象；

4　当接有距离不超过200m延伸话机时，应仍能符合上述正常功能。

5.4　网管基本功能检查

5.4.1　网管应具备下列安全管理基本功能：

1　具有操作级别及权限划分、用户管理、日志管理等安全管理功能；

2　监视和控制试图接入受限资源的申请；

3　对系统资料备份归档，操作系统软件、系统应用软件、系统数据库应齐全并具有备份功能。

5.4.2　网管应具备下列故障管理功能：

1　实时告警监视定位到单板（盘）、可闻、可视告警提示、告警收集和显示、告警清除和确认、告警过滤和屏蔽、告警级别设置、告警查询和统计；

2　设备告警、服务质量告警、通信告警、环境告警和处理失败告警等类型；

3　紧急告警、严重告警、一般告警和提示告警等至少4种告警严重级别；

4　未确认当前告警、已确认当前告警、未确认历史告警和已确认历史告警等4种告警状态；

5　具有告警输出功能。故障监视告警参数应满足表5.4.2要求。

表5.4.2　故障监视告警参数

序　　号	告警描述	告警位置
1	输入信号丢失	S，R_n
2	激光器寿命告警	OTU
3	激光器背光功率告警	OTU
4	激光器温度过限	OTU
5	激光器偏置电流过限	OTU
6	激光器发送失效	OTU

续表 5.4.2

序　　号	告 警 描 述	告 警 位 置
7	输入合路信号丢失	MPI-S_M
8	输入光功率过限	S,R_n
9	输出光功率过限	S_n,R
10	光信号帧丢失	OTU

5.4.3 网管应具备下列性能管理功能：

1 应具备性能检测管理、性能数据查询显示统计、性能数据存储、性能数据输出、性能门限设置查询等功能；

2 性能管理监视的主要参数应满足表 5.4.3 要求。

表 5.4.3 基本性能管理参数

序　　号	性能参数描述	性能采集位置
1	输入光功率	S,R_n
2	输出光功率	S_n,R
3	激光器偏置电流	OTU
4	激光器温度	OTU
5	激光器背光功率	OTU
6	总输入光功率	MPI-S_M
7	总输出光功率	MPI-R_M
8	纠前误码率	OTU
9	信噪比	MPI-R_M

5.4.4 网管应具备下列配置管理功能：

1 网络拓扑管理、网元配置管理、网元状态监控和子速率复用器(T-MUX)管理功能；

2 配置 OADM 交叉连接，设定东(西)向和上(下)光通道；配置和修改网元保护方式，控制保护倒换状态；

3 在网元上实施时钟设置和修改。管理软件版本，上载、下载和升级软件。

5.4.5 WDM 的光监测通道中断时，网管可支持自动切换到外部 DCC 通道，网管系统功能不应受到影响，不得丢失网管系统数据库中的数据。

6 竣工文件

6.0.1 工程完工后，应及时编制竣工文件。工程初步验收前应提交竣工文件1式3份。

6.0.2 竣工文件应包含下列规定内容：

1 工程说明；

2 开工报告；

3 安装工程量总表；

4 已安装的设备明细表；

5 工程设计变更单；

6 重大工程质量事故报告；

7 停(复)工报告；

8 随工签证记录；

9 交(完)工报告；

10 交接书；

11 验收证书；

12 测试记录；

13 竣工图纸。

6.0.3 测试记录内容，可按本规范附录A执行。

6.0.4 竣工图应符合下列规定：

1 竣工图可在施工图基础上编制，施工中未变更的，施工图可作为竣工图；

2 个别变动时，可在原施工图上改绘作为竣工图；

3 施工图有较大修改或已无法改绘时，应重新绘制；

4 竣工图应加盖竣工图章。

6.0.5 竣工文件应内容齐全、详实准确和清楚规范。

7 工程验收

7.1 工程初步验收

7.1.1 工程初步验收应在具备下列条件后组织验收：

1 完成全部设计工作量；

2 设备功能、系统性能经检查、测试合格；

3 竣工文件编报完毕后，提交完工报告。

7.1.2 工程初步验收应按照本规范和设计文件的要求，开展下列检查和交接：

1 安装工艺质量检查，设备和系统性能测试；

2 竣工文件审查；

3 已安装设备交接，备盘备件清点移交。

7.1.3 施工过程中，可按表7.1.3的规定，对设备硬件安装质量进行检验和签证，对取得签证的硬件安装项目，在工程初步验收时可不再检验。

表 7.1.3 设备硬件安装检查

项目	章节号	验收子项	主要检验内容	验收方式
硬件安装检查	3.1	机房环境检查	1. 机房物品摆放； 2. 空洞位置、尺寸； 3. 封堵孔洞材料	现场检查
	3.2	铁架安装	1. 安装平面位置； 2. 安装高度； 3. 紧固件、漆面	随工检验 现场检查
	3.3	机架和子架安装	1. 机架安装平面位置； 2. 机架垂直、水平度； 3. 机架上下加固； 4. 机架接地线；	随工检验 现场检查

续表 7.1.3

项目	章节号	验收子项	主要检验内容	验收方式
硬件安装检查	3.3	机架和子架安装	5.机架附件的放置； 6.子架安装位置； 7.子架内机盘的安装； 8.子架内缆、线、纤的固定； 9.子架附件的放置	随工检验 现场检查
	3.4	网管设备安装	1.设备安装平面位置； 2.设备安装方式； 3.设备供电电源模式	随工检验 现场检查
	3.5	缆线布放及成端	1.光纤连接线路由及保护措施； 2.在护槽内布放工艺； 3.光纤连接线盘曲率半径； 4.光纤连接线的标签； 5.通信电缆的路由； 6.通信缆线规格程式； 7.通信电缆布放、绑扎工艺； 8.通信电缆端头处理、余长绑扎； 9.通信电缆焊接工艺； 10.电力电缆端头处理； 11.电力电缆铜鼻子规格； 12.电力电缆铜鼻子固定； 13.电力电缆端头保护管颜色	随工检验 现场检查

7.1.4 设备功能检查及测试项目可按表 7.1.4 执行，当抽测数量不足一个单位时，应按一个单位抽测。当抽测的项目不合格时，应对该项目加倍测试，当结果仍不合格时，该项目应全部测试。

表 7.1.4 设备功能检查、测试和竣工文件检查

项目	章节号	验收子项	主要检验内容	验收方式	检验比例
设备功能检查及本机测试	4.1	电源及告警功能检查	1.设备工作电压、功耗； 2.电源柜、列头柜熔丝规格； 3.主备用电源倒换试验； 4.告警功能试验	随工检验	全测

续表 7.1.4

项目	章节号	验收子项	主要检验内容	验收方式	检验比例
设备功能检查及本机测试	4.2	OMU 测试	1. 插入损耗； 2. 插入损耗最大差异	检查记录 初验抽测	5%
	4.3	ODU 测试	1. 插入损耗； 2. 插入损耗最大差异； 3. 相邻通路隔离度； 4. 非相邻通路隔离度	检查记录 初验抽测	5%
	4.4	梳状滤波器测试	1. 插入损耗； 2. 插入损耗最大差异； 3. 通路隔离度	检查记录 初验抽测	5%
	4.5	OADM 测试	1. 插入损耗； 2. 插入损耗最大差异； 3. 通路隔离度	检查记录 初验抽测	5%
	4.6	OTU 测试	1. 平均发送光功率； 2. 接收灵敏度； 3. 最小过载光功率； 4. 中心波长及偏移； 5. 最小边模抑制比； 6. 最大－20dB 谱宽； 7. 抖动产生； 8. 输入抖动容限； 9. 抖动转移特性； 10. 光发送眼图	检查记录 初验抽测	10%
	4.7	T-MUX 测试	1. 平均发送光功率； 2. 接收灵敏度； 3. 最小过载光功率； 4. 输入抖动容限； 5. 抖动产生； 6. 光发送眼图	检查记录 初验抽测	10%
	4.8	OLA 测试	1. 总输入光功率； 2. 总输出光功率	检查记录 初验抽测	10%

续表 7.1.4

项目	章节号	验收子项	主要检验内容	验收方式	检验比例
设备功能检查及本机测试	4.9	OSA测试	1.中心波长精度； 2.功率精度； 3.光信噪比精度	检查记录 初验抽测	10%
	4.10	OSC测试	1.平均发送光功率； 2.工作波长及其偏差	测试	10%
系统性能测试及功能检查	5.1	系统指标测试	1.光信噪比； 2.系统输出抖动； 3.系统误码性能； 4.保护倒换时间； 5.吞吐量、过载丢包率、长期丢包率、时延、背靠背测试	检查记录 初验抽测	20%
	5.2	系统功能检查	1.系统通路增减； 2.APR或ALS功能试验； 3.保护倒换方式	检查记录 初验抽测	全检
	5.3	辅助系统功能检查	1.公务联络功能； 2.网管功能检查	检查记录 初验抽测	全检
	5.4	网管基本功能检查	1.安全管理； 2.故障管理； 3.性能管理； 4.配置管理； 5.光检测通道保护	检查记录 初验抽测	全检
竣工文件审查	6.0.1	竣工文件份数	竣工文件三份	文件审查	全检
	6.0.2	竣工文件内容	1.竣工文件； 2.测试记录； 3.竣工图纸	与实际核对 与指标核对	全检
	6.0.5	竣工文件要求	1.内容齐全； 2.详实准确； 3.清楚规范	文件审查	全检

7.1.5 工程初验通过后，应形成初步验收报告，有遗留问题时，应明确解决遗留问题的责任单位和解决时限，并应对工程施工质量等级初步评定，施工质量评定应符合下列规定：

1 主要安装工程项目基本达到施工质量标准，其余项目稍有偏差，但不影响设备使用寿命应为合格等级；

2 在合格基础上，主要安装项目全部达到施工质量标准，其余项目稍有偏差，但不影响设备使用寿命应为优良等级。

7.2 工程试运行

7.2.1 初验通过后，应安排系统试运行。

7.2.2 试运行应组织维护人员执行。维护人员可定期对设备指标抽测；可通过网管对工程复用段长期误码性能进行连续30日的稳定观测；可试开通部分非重要业务。

7.2.3 试运行时间宜为3个月，试运行结束后，应提交试运行报告并准备终验。

7.3 工程终验

7.3.1 试运行结束，工程遗留问题解决后，应进行工程终验。

7.3.2 终验应对投资进行初步决算，综合评定工程设计和工程施工质量。在工程同时满足下列要求时，工程终验应通过：

1 主要传输性能满足设计要求；

2 系统试运行稳定可靠；

3 主要安装项目达到施工质量标准，其余项目稍有偏差，但不影响设备使用寿命。

7.3.3 未通过终验的工程不得投产使用。

附录 A 测试记录样表

A.0.1 设备基本功能检查记录可按表 A.0.1 选用。

表 A.0.1 设备基本功能检查记录

测试、检查结果 测试、检查项目	要　求	结果 （合格打√）	备注
机房供电电压	应满足设备要求	－____V	记录电压值
列柜熔丝容量	应满足设计要求		
设备总功耗	满足技术要求		记录功耗值
设备主、备电源倒换	同时和独自供电设备正常		
设备告警性能（可借助网管模拟）			
电源故障	设备告警、集中告警应正常		
机盘故障	设备告警、集中告警应正常		
机盘缺失	设备告警、集中告警应正常		
信号丢失（LOS）	设备告警、集中告警应正常		
激光器自动关闭（ALS）	设备告警、集中告警应正常		

设备型号：　　　　　　　　　　制造厂商：

测试仪表：　　　　　　　　　　测试人员：

随工（监理）：　　　　　　　　测试时间：

A.0.2 DWDM合波器(OMU)测试记录可按表A.0.2选用。

表A.0.2 DWDM合波器(OMU)测试记录

测试项目 通路λ_n、方向	插入损耗(dB)	
	指标	实测值
______方向最大差异		
______方向最大差异		

设备型号：　　　　　　　　　　制造厂商：

测试仪表：　　　　　　　　　　测试人员：

随工(监理)：　　　　　　　　　测试时间：

A.0.3 DWDM分波器(ODU)测试记录可按表A.0.3选用。

表A.0.3 DWDM分波器(ODU)测试记录

测试项目 通路λ_n、方向	插入损耗(dB)		相邻通路隔离度	非相邻通路隔离度
	指标	实测值	指标： dB	指标： dB
______方向最大差异			—	—
______方向最大差异			—	—

设备型号：　　　　　　　　　　制造厂商：

测试仪表：　　　　　　　　　　测试人员：

随工(监理)：　　　　　　　　　测试时间：

A.0.4 DWDM梳状滤波器测试记录可按表A.0.4选用。

表A.0.4 DWDM梳状滤波器测试记录

测试项目 通路λ_n、方向	插入损耗(dB)		相邻通路隔离度	非相邻通路隔离度
	指标	实测值	指标：　　dB	指标：　　dB
______方向最大差异			—	—
______方向最大差异			—	—

设备型号：　　　　　　　　　　制造厂商：

测试仪表：　　　　　　　　　　测试人员：

随工(监理)：　　　　　　　　　测试时间：

A.0.5 DWDM 光分插复用器(OADM)测试记录可按表 A.0.5 选用。

表 A.0.5 DWDM 光分插复用器(OADM)测试记录

测试项目 通路 λ_n、方向	插入损耗(dB)		相邻通路隔离度	非相邻通路隔离度
	指标	实测值	指标： dB	指标： dB
______方向最大差异			—	—
______方向最大差异			—	—

设备型号： 制造厂商：

测试仪表： 测试人员：

随工(监理)： 测试时间：

A.0.6 波长转换器(OTU)测试记录可按表 A.0.6 选用。

表 A.0.6 波长转换器(OTU)测试记录

测试项目 指标 OTU 型号、位置	发光功率 (dBm)		接收灵敏度 (dBm)		过载光功率 (dBm)		中心频率(THz)及其偏差			最小边摸抑制比	最大－20dB 谱宽
							偏差指标:± GHz			指标:≥35dB	指标: nm
	指标	实测值	指标	实测值	指标	实测值	标称值	实测值	偏移	实测值	实测值

注:对于接收端 OTU,可不测试接收灵敏度、过载光功率、中心波长(频率)、最小边模抑制比和最大－20dB 谱宽指标。

设备型号:　　　　制造厂商:

测试仪表:　　　　测试人员:

随工(监理):　　　　测试时间:

续表 A.0.6

测试项目频点(kHz) 指标 OTU型号、位置	输入抖动容限 UI_{p-p}				抖动转移特性(dB)						抖动产生 UI_{p-p}	
											B_1	B_2
	≥	≥	≥	≥	≤	≤	≤	≤	≤	≤	≤	≤

注:1 对于OTN业务接口的OTU,共涉及ODC_a、ODC_b、ODC_r和ODC_p等4种不同时钟,工程阶段只要求ODC_b和ODC_r测试抖动转移特性。

2 抖动产生仅测接收端OTU;输入抖动容限仅测发送端OTU。

3 抖动容限和抖动转移特性测试过程中,低频点选取可根据测试仪表的情况而定。

设备型号: 制造厂商: 测试仪表:

随工(监理): 测试人员: 测试时间:

A. 0. 7 子速率透明复用器(T-MUX)测试记录可按表 A. 0. 7 选用。

表 A. 0. 7 子速率透明复用器(T-MUX)测试记录

测试项目 指标 / T-MUX 位置 端口号	发光功率 (dBm)		接收灵敏度 (dB)		过载光功率 (dB)		输入抖动容限 UI_{p-p}				抖动产生 UI_{p-p}	
							kHz	kHz	kHz	kHz	B_1	B_2
	指标	实测值	指标	实测值	指标	实测值	≥	≥	≥	≥	≤0.30	≤0.10

设备型号： 制造厂商： 测试仪表：

随工(监理)： 测试人员： 测试时间：

A.0.8 光线路放大器(OLA)测试记录可按表 A.0.8 选用。

表 A.0.8 光线路放大器(OLA)测试记录

测试项目 OLA 方向	总输入光功率电平(dBm)		总输出光功率电平(dBm)	
	指标	实测值	指标	实测值

设备型号： 制造厂商：

测试仪表： 测试人员：

随工(监理)： 测试时间：

A.0.9 光谱分析模块(OSA)测试记录可按表 A.0.9 选用。

表 A.0.9 光谱分析模块(OSA)测试记录

测试数据 测试项目	偏差指标	OSA 测试值	仪表测试值	实测偏差
中心波长精度(nm)	±0.1			
功率精度(dB)	±1.5			
光信噪比精度(dB)	±1.5			

设备型号： 制造厂商：

测试仪表： 测试人员：

随工(监理)： 测试时间：

A.0.10 光监控通路(OSC)测试记录可按表 A.0.10 选用。

表 A.0.10 光监控通路(OSC)测试记录

测试项目 OSC 方向	发光功率(dB)		中心波长(nm)			
	指标	实测值	标称值	实测值	偏差指标	实测偏差

设备型号： 制造厂商：

测试仪表： 测试人员：

随工(监理)： 测试时间：

A.0.11 WDM 系统性能测试记录可按表 A.0.11 选用。

表 A.0.11 WDM 系统性能测试记录

光复用段名称：____________________

测试项目 / 指标 / 通路号 λ_n	输出抖动 UI_{p-p}		误码性能（24h 附打印记录、15min 合格打✓）
	B_1	B_2	

A.0.12 保护倒换时间测试记录可按表 A.0.12 选用。

表 A.0.12 保护倒换时间测试记录

光复用段名称：____________________

通路号 λ_n	保护倒换方式	
	光通道保护倒换时间 ≤50ms	光复用段保护倒换时间 ≤50ms

测试仪表：　　　　　　　　　　测试人员：

随工（监理）：　　　　　　　　测试时间：

A.0.13 WDM系统以太网性能测试记录可按表A.0.13选用。

表 A.0.13 WDM系统以太网性能测试记录

通路号 λ_n	以太网测试项目				
	吞吐量	丢包率	长期丢包率	时延	背靠背
	指标	指标	指标	指标	指标

测试仪表：　　　　　　　　　　　　测试人员：

随工(监理)：　　　　　　　　　　　测试时间：

A.0.14 WDM系统功能检查记录可按表A.0.14选用。

表A.0.14 WDM系统功能检查记录

检查结果 检查项目	要　求	结果 （合格打✓）	备注
系统通路增减	不应对其他通路造成影响		
APR功能	应自动关闭并可恢复正常		
公务联络功能	应话音清晰、拨号正常		

本规范用词说明

1 为便于在执行本规范条文时区别对待，对要求严格程度不同的用词说明如下：

1）表示很严格，非这样做不可的：

正面词采用“必须”，反面词采用“严禁”；

2）表示严格，在正常情况下均应这样做的：

正面词采用“应”，反面词采用“不应”或“不得”；

3）表示允许稍有选择，在条件许可时首先应这样做的：

正面词采用“宜”，反面词采用“不宜”；

4）表示有选择，在一定条件下可以这样做的，采用“可”。

2 条文中指明应按其他有关标准执行的写法为：“应符合……的规定”或“应按……执行”。

中华人民共和国国家标准

波分复用(WDM)光纤传输系统工程验收规范

GB/T 51126 - 2015

条 文 说 明

制 订 说 明

《波分复用(WDM)光纤传输系统工程验收规范》GB/T 51126—2015,经住房城乡建设部2015年8月27日以第897号公告批准发布。

本规范制定过程中,编制组进行了波分复用(WDM)光纤传输系统工程验收过程的调查研究,总结了我国工程建设通信行业波分复用工程验收过程中的实践经验,开展了必要的技术研讨,并广泛征求有关单位的意见,最后经有关部门共同审查定稿。

为便于广大设计、施工、建设、运维等单位有关人员在使用本标准时能正确理解和执行条文规定,本规范编制组按章、节、条顺序编制了本规范的条文说明,对条文规定的目的、依据以及执行中需要注意的有关事项进行了说明。但是,本条文说明不具备与标准正文同等的法律效力,仅供使用者作为理解和把握标准规定的参考。

目　　次

1 总 则

本规范中有关工程技术指标的检验部分，仅适用于点到点的线性开放式 WDM 系统和线性 OADM 节点。对于其他形式组网的 WDM 系统，可参照本规范的相关部分，并结合其他验收规范的相关部分进行检验。

项目若有厂验程序时，一般应在设备发货之前，由建设单位组建厂验小组，到设备供应商工厂或仓储地，对工程所采购的设备进行抽样检验，检测应以工程现场仪表、人员、技术手段等条件不宜满足的项目(如光发送眼图、消光比、接收机反射性能等)为主，并对厂验小组认为有必要的部分常规项目进行测试。最后抽取部分设备进行室内模拟光复用段和光通道做系统测试、网管测试、温度循环试验等。结合运输条件还要对设备包装的安全性进行试验。

现场测试是最后保证工程质量的重要手段。工程中的所有设备按照工程设计安装完成后，在实际现场条件下进行现场验收测试工作，应以本规范中的常规测试项目和系统测试项目为主，对于厂验已重点测试过以及现场测试条件不容易满足的项目，初验小组认为必要的可以进行少量复测，现场条件不会对厂验测试结果造成影响的项目可以不再复测。

设计指标包括专门针对工程项目下达的验收指标、设计技术说明中的技术标准或设备供货合同中的指标要求等。

3 设备安装

3.3 机架和子架安装

3.3.1 本条第5款，机架对地加固宜使用M10～M12膨胀螺栓，数量可根据施工现场情况确定，一般机架底面为600mm×300mm及以上时，应使用4只；机架底面在600mm×300mm以下时，可使用2只。

本条第8款，工程中多余光纤太长时，考虑到ODF架是不同期工程、不同专业共用的地方，平时维护调度经常涉及，宜将多余光纤盘绕整齐放置到主设备侧。也可考虑在工程设计阶段定制一些盘绕光纤的专用空子架，安装在主设备机架的顶部或底部空闲位置，以便放置多余的光纤。

4 设备功能检查及本机测试

当测试光纤与设备接头不匹配时，每增加一次转换接头，应允许最大不超过 0.5dB 的功率偏差，测试结果在指标范围内时，此偏差可忽略不计，在指标要求的边沿值时，应考虑此偏差对测试结果造成的影响。光功率测试中应根据实际情况设置仪表波长范围，通常 DWDM 测试中设置为 1550nm，CWDM 测试中根据被测试设备波长适当选择仪表波长范围。对于 CWDM 系统本机测试只对波长转换器项目进行测试，其他项目暂不要求；系统项目根据业务类型选择测试。

4.2 合波器(OMU)测试

4.2.1 在合波器插入损耗测试过程中，新建波分系统可采用发送端 OTU 的发光替代可调激光器光源发出的光，这样测试结果会更接近设备正常工作时的状态。

4.3 分波器(ODU)测试

4.3.1 在分波器插入损耗测试过程中，新建波分系统可采用本站的合波器的合波口输出侧与分波器的输入侧互联，用发送端 OTU 的发光替代可调激光器光源发出的光。

4.3.2 分波器的输入端是指现行行业标准《N×100bit/s 光波分复用(WDM)系统技术要求》YD/T 2485 中的 MPI-R_M点。本规范其他章节所指的测试点和监测点是指 YD/T 2485 中相应的参考点。

4.6 波长转换器(OTU)测试

4.6.1 当波长转换器接口类型为 GE、10GE LAN 和 10GE

WAN 的接口参数应符合现行行业标准《以太网交换机技术要求》YD/T 1099 中“以太网接口”的规定。

4.6.2 现场为节约测试时间，可在误码率误码率为 1.00×10^{-10} 情况下测试，指标严格 1dB。

4.6.3 考虑到测试极限过载点，可能会对 OTU 寿命造成影响，工程阶段宜直接将结果调到指标要求值，观察无误码即可。根据传输分析仪的实际情况，若仪表最大发光功率也达不到设备过载光功率，则采取设备自环，在网管上观察误码情况的方法测试；若设备的发光板输出最大光功率达不到过载光功率，此项目取消测试。

4.6.5 最小边模抑制比测试，测试各 OTU 的主纵模绝对功率电平值和最大边模的绝对功率电平值，计算两者的差值，该差值就是最小边模抑制比。光谱分析仪分辨率宜设置为 0.1nm 状态测试。由于时钟频率造成与最大峰值分离的光谱不能被误认为是边模。

4.6.6 最大－20dB 谱宽测试，用光谱分析仪测出待测 OTU 设备的主纵模波形曲线，用标注符在曲线上标出比主纵模峰值低 20dB 的左右两点，测出两点间的宽度就得到了谱宽。有时设计指标要求测试－3dB 谱宽时，可类似测试。光谱分析仪分辨率应设置为 0.07nm 或仪表可设置的最小值状态测试。

4.6.7 抖动产生测试，若传输分析仪不支持 FEC 功能，可采取一对同时都有 FEC 功能的收端和发端 OTU，串联到仪表中间测试，只对接收端 OTU 测试，对发送端 OTU 考虑到其输出端口在系统内，只要系统抖动指标合格即可。测试过程中要注意衰耗器应采用非空气介质型光可调衰耗器，保证传输分析仪接收的光功率位于其测试抖动指标时要求的光功率范围内。

4.6.8 输入抖动容限测试，若传输分析仪不支持 FEC 功能，采取一对同时都有 FEC 功能的收端和发端 OTU，串联到仪表中间测试。验收时只对发送端 OTU 测试，对接收端 OTU 考虑到其输入端口在系统内，只要不对系统造成影响即可。不同速率设备应至少容忍仪表发送正弦调制输入抖动模框(即实测值应在图中曲线上方)。

4.6.9 抖动转移特性测试,在测试过程中,仪表接收光功率和其在校准时的接收光功率偏差应控制在1dB范围内,仪表设置的测试频率值和频率点数亦均应与校准时的相应值保持一致。若传输分析仪不支持FEC功能,可采取一对同时都有FEC功能的收端和发端OTU,串联到仪表中间测试,指标在f_c点的要求可放宽到0.2dB,测试结果为该一对OTU的串联实测值。测试过程中要注意衰耗器采用非空气介质型光可调衰耗器,保证传输分析仪接收的光功率位于其测试抖动指标时要求的光功率范围内。

4.7 子速率透明复用器(T-MUX)测试

4.7.1 当子速率透明复用器接口类型为GE、10GE LAN和10GE WAN的接口参数应符合现行行业标准《以太网交换机技术要求》YD/T 1099中"以太网接口"的规定。

4.8 光线路放大器(OLA)测试

4.8.2 在OLA正常时是指按设计要求正确配置OLA增益系数,OLA输入光功率在OLA正常工作范围内,OLA处于正常的工作状态。

4.9 光谱分析模块(OSA)测试

本节测试指标是适用于10 G及以下速率的WDM系统。对于40Gb/s及以上速率的WDM系统,考虑到由于码型原因,传统方法评估信噪比误差较大,测试精度可根据现场情况酌情考虑。

5 系统性能测试及功能检查

5.1 系统性能测试

5.1.1 光信噪比的测试，光谱分析仪分辨率应设置为0.1nm。

5.1.2 系统输出抖动的测试，应保证传输分析仪接收的光功率位于其测试抖动指标时要求的光功率范围内。

5.1.4 在倒换测试过程中，可采用光纤阻断（通过拔纤实现）或网管设置方式触发倒换。由于拔纤方式测试的中断业务时间包含设备的请求倒换时间，实测值超过指标要求时应采用网管设置方式加以验证。

5.1.5 以太网性能测试应符合以下要求。

吞吐量：测试过程要调整光衰耗器使设备和测试仪表在正常的接收光功率工作状态。用网管配置一个点到点的双向以太网业务，确认设备工程配置的所有各通路工作正常，设置数据网络分析仪为吞吐量测试功能，采用64字节、128字节、256字节、512字节、1024字节、1280字节、1518字节等7个典型包长，允许丢包率设置为0，分辨率设为0.1%，测试时间设定为10s。

过载丢包率：测试过程要调整光衰耗器使设备和测试仪表在正常的接收光功率工作状态。用网管配置一个点到点的双向以太网业务，确认设备工程配置的所有各通路工作正常，设置数据网络分析仪为丢包率测试功能，采用64字节、128字节、256字节、512字节、1024字节、1280字节、1518字节等7个典型包长，测试的流量以吞吐量为起点，递增到100%流量，步长设置为10%，测试时间设定为10s。

长期丢包率：测试过程要调整光衰耗器使设备和测试仪表在正常的接收光功率工作状态。用网管配置一个点到点的双向以太网业务,确认设备工程配置的所有各通路工作正常,设置数据网络分析仪为丢包率测试功能,数据网络分析仪发送流量为吞吐量90%的固定流量,测试时间为连续24h。

时延:测试过程要调整光衰耗器使设备和测试仪表在正常的接收光功率工作状态。用网管配置一个点到点的双向以太网业务,确认设备工程配置的所有各通路工作正常,设置数据网络分析仪为时延测试功能,采用64字节、128字节、256字节、512字节、1024字节、1280字节、1518字节等7个典型包长,数据网络分析仪发送流量为吞吐量90%的固定流量,测试时间设定为10s。

7 工程验收

7.1 工程初步验收

7.1.5 主要安装工程项目指对设备安全、人身安全、环境保护、能源消耗和对设备系统指标影响较大的项目。

7.3 工程终验

7.3.2 终验通过的项目质量评价等级一般按下列标准评定：

(1)合格等级：传输性能基本满足设计要求，系统运行稳定可靠，主要安装项目基本达到施工质量标准，其余项目稍有偏差，但不影响设备使用寿命。

(2)优良等级：在合格基础上，传输性能全部满足设计要求，系统运行稳定可靠，主要安装项目全部达到施工质量标准，其余项目稍有偏差，但不影响设备使用寿命。